在浦东开发开放30周年庆祝大会上的讲话

（2020年11月12日）

习　近　平

人　民　出　版　社

在浦东开发开放30周年庆祝大会上的讲话

（2020年11月12日）

习　近　平

女士们，先生们，同志们：

30年前，国际形势风云变幻，国内改革风起云涌，党中央全面研判国际国内大势，统筹把握改革发展大局，作出了开发开放上海浦东的重大决策，掀开了我国改革开放向纵深推进的崭新篇章。

今天，我们在这里隆重集会，庆祝浦东开发开放30周年，就是要回顾历史、展望未来，支持浦东在全面建设社会主义现代化国家新征程中锐意进取，推进更深层次改革、更高水平开放，为实现全面建设社会主义现代化国家的奋斗目标、实现中华民族伟大复兴的中国梦作出新的更大的贡献！

首先，我代表党中央、国务院和中央军委，向上海广大干部群众，致以热烈的祝贺和诚挚的问候！向所有关心、支持、参与浦东开发开放的港澳台同胞、海外侨胞和各国人士，表示衷心的感谢！

女士们、先生们、同志们！

党中央对浦东开发开放高度重视、寄予厚望。邓小平同志亲自倡导，指出“开发浦东，这个影响就大了，不只是浦东的问题，是关系上海发展的问题，是利用上海这个基地发展长江三角洲和长江流域的问题”，要求“抓紧浦东开发，不要动摇，一直到建成”。

党的十四大强调，以上海浦东开发开放为龙头，进一步开放长江沿岸城市，尽快把上海建成国际经济、金融、贸易中心之一，带动长江三角洲和整个长江流域地区经济的新飞跃。党的十五大、十六大、十七大都要求浦东在扩大开放、自主创新等方面走在前列。

进入新时代，党的十八大、十九大继续对浦东开发开放提出明确要求，党中央把首个自由贸易试验区、首批综合性国家科学中心等一系列国家战略任务放在浦东，推动浦东开发开放不断展现新气象。

30年来，浦东创造性贯彻落实党中央决策部署，取得了举世瞩目的成就。经济实现跨越式发展，生产总值从1990年的60亿元跃升到2019年的1.27万亿元，财政总收入从开发开放初期的11亿元增加到2019年的逾4000亿元，浦东以全国1/8000的面积创造了全国1/80的国内生产总值、1/15的货物进出口总额。改革开放走在全国前列，诞生了第一个金融贸易区、第一个保税区、第一个自由贸易试验区及临港新片区、第一家外商独资贸易公司等一系列“全国第一”。核心竞争力大幅度增强，基本形成以现代服务业为主体、战略性新兴产业为引领、先进制造业为支撑的现代产业体系，承载了上海国际经济中心、金融中心、贸易中心、航运中心、科技创新中心建设的重要功能。人民生活水平整体性跃升，2019年城乡居民人均可支配收入达到71647元，人均预期寿命从1993年的76.10岁提高到84.46岁，城镇人均住房建筑面积从1993年的15平方米提高到42平方米。

30年披荆斩棘，30载雨雪风霜。经过30年发展，浦东已经从过去以农业为主的区域，变成了一座功能集聚、要素齐全、设施先进的现代化新城，可谓是沧桑巨变。浦东开发开放30年取得的显著成就，为中国特色社会主义制度优势提供了最鲜活的现实明证，为改革开放和社会主义现代化建设提供了最生动的实践写照！

实践充分证明，党的十一届三中全会以来形成的党的基本理论、基本路线、基本方略是完全正确的；改革开放是坚持和发展中国特色社会主义、实现中华民族伟大复兴的必由之路；改革发展必须坚持以人民为中心，把人民对美好生活的向往作为我们的奋斗目标，依靠人民创造历史伟业！

女士们、先生们、同志们！

从现在起到本世纪中叶，是我国全面建成社会主义现代化强国的30年。当前，世界正经历百年未有之大变局，新冠肺炎疫情全球大流行使这个大变局加速演变，单边主义、保护主义上升，国际格局深刻调整，不稳定不确定因素明显增多，今后一个时期我们将面对更为复杂多变的外部环境。越是面对挑战，我们越是要遵循历史前进逻辑、顺应时代发展潮流、呼应人民群众期待，在更加开放的条件下实现更高质量的发展。

新征程上，我们要把浦东新的历史方位和使命，放在中华民族伟大复兴战略全局、世界百年未有之大变局这两个大局中加以谋划，放在构建以国内大循环为主体、国内国际双循环相互促进的新发展格局中予以考量和谋划，准确识变、科学应变、主动求变，在危机中育先机、于变局中开新局。

党中央正在研究制定《关于支持浦东新区高水平改革开放、打造社会主义现代化建设引领区的意见》，将赋予浦东新区改革开放新的重大任务。浦东要抓住机遇、乘势而上，全面贯彻党的十九大和十九届二中、三中、四中、五中全会精神，科学把握新发展阶段，坚决贯彻新发展理念，服务构建新发展格局，坚持稳中求进工作总基调，勇于挑最重的担子、啃最硬的骨头，努力成为更高水平改革开放的开路先锋、全面建设社会主义现代化国家的排头兵、彰显“四个自信”的实践范例，更好向世界展示中国理念、中国精神、中国道路。

第一，全力做强创新引擎，打造自主创新新高地。科学技术从来没有像今天这样深刻影响着国家前途命运，从来没有像今天这样深刻影响着人民幸福安康。我国经济社会发展比过去任何时候都更加需要科学技术解决方案，更加需要增强创新这个第一动力。要面向世界科技前沿、面向经济主战场、面向国家重大需求、面向人民生命健康，加强基础研究和应用基础研究，打好关键核心技术攻坚战，加速科技成果向现实生产力转化，提升产业链水平，为确保全国产业链供应链稳定多作新贡献。

浦东要在基础科技领域作出大的创新，在关

键核心技术领域取得大的突破，更好发挥科技创新策源功能。要优化创新创业生态环境，疏通基础研究、应用研究和产业化双向链接的快车道。要聚焦关键领域发展创新型产业，加快在集成电路、生物医药、人工智能等领域打造世界级产业集群。要深化科技创新体制改革，发挥企业在技术创新中的主体作用，同长三角地区产业集群加强分工协作，突破一批核心部件、推出一批高端产品、形成一批中国标准。要积极参与、牵头组织国际大科学计划和大科学工程，开展全球科技协同创新。

第二，加强改革系统集成，激活高质量发展新动力。改革开放是当代中国最显著的特征。党的十八届三中全会以来，我们聚焦深层次体制机制障碍，推出一系列重大改革，打通理顺许多堵点难点，很多领域实现了历史性变革、系统性重塑、整体性重构。随着我国迈入新发展阶段，要聚焦基础性和具有重大牵引作用的改革举措，在政策取向上相互配合、在实施过程中相互促进、在改革成效上相得益彰，推动各方面制度更加成熟更加定型。

浦东要在改革系统集成协同高效上率先试、出经验。要探索开展综合性改革试点，统筹推进重要领域和关键环节改革，从事物发展的全过程、产业发展的全链条、企业发展的全生命周期出发来谋划设计改革，加强重大制度创新充分联动和衔接配套，放大改革综合效应，打造市场化、法治化、国际化的一流营商环境。

第三，深入推进高水平制度型开放，增创国际合作和竞争新优势。对外开放是我国的基本国策，任何时候都不能动摇。当今时代，任何关起门来搞建设的想法，任何拒人于千里之外的做法，任何搞唯我独尊、赢者通吃的企图，都是逆历史潮流而动的！当前，经济全球化遇到一些回头浪，但世界决不会退回到相互封闭、彼此分割的状态，开放合作仍然是历史潮流，互利共赢依然是人心所向。要敞开大门欢迎各国分享中国发展机遇，积极参与全球经济治理。凡是愿意同我们合作的国家、地区和企业，我们都要积极开展合作。

浦东要着力推动规则、规制、管理、标准等制度型开放，提供高水平制度供给、高质量产品供给、高效率资金供给，更好参与国际合作和竞争。要更好发挥中国（上海）自由贸易试验区临港新片区作用，对标最高标准、最高水平，实行更大程度的压力测试，在若干重点领域率先实现突破。要加快同长三角共建辐射全球的航运枢纽，提升整体竞争力和影响力。要率先实行更加开放更加便利的人才引进政策，积极引进高层次人才、拔尖人才和团队特别是青年才俊。

第四，增强全球资源配置能力，服务构建新发展格局。我说过，中国经济是一片大海，我还要说世界经济也是一片大海。世界大海大洋都是相通的，任何人企图人为阻碍世界大海大洋相通，都只能是一种不自量力的幻想！加快构建新发展格局，要更好统筹国内国际两个市场两种资源，增强资源配置能力，提高对资金、信息、技术、人才、货物等要素配置的全球性影响力。

浦东要努力成为国内大循环的中心节点和国内国际双循环的战略链接，在长三角一体化发展中更好发挥龙头辐射作用。要完善金融市场体系、产品体系、机构体系、基础设施体系，支持浦东发展人民币离岸交易、跨境贸易结算和海外融资服务，建设国际金融资产交易平台，提升重要大宗商品的价格影响力，更好服务和引领实体经济发展。要发展更高能级的总部经济，统筹发展在岸业务和离岸业务，成为全球产业链供应链价值链的重要枢纽。

第五，提高城市治理现代化水平，开创人民城市建设新局面。人民城市人民建、人民城市为人民。城市是人集中生活的地方，城市建设必须把让人民宜居安居放在首位，把最好的资源留给人民。要坚持广大人民群众在城市建设和发展中的主体地位，探索具有中国特色、体现时代特征、彰显我国社会主义制度优势的超大城市发展之路。要提高城市治理水平，推动治理手段、治理模式、治理理念创新，加快建设智慧城市，率先构建经济治理、社会治理、城市治理统筹推进和有机衔接的治理体系。

推进城市治理，根本目的是提升人民群众获得感、幸福感、安全感。要着力解决人民群众最关心最直接最现实的利益问题，不断提高公共服务均衡化、优质化水平。要构建和谐优美生态环境，把城市建设成为人与人、人与自然和谐共生的美丽家园。要把全生命周期管理理念贯穿城市规划、建设、管理全过程各环节，把健全公共卫生应急管理体系作为提升治理能力的重要一环，着力完善重大疫情防控体制机制，毫不放松抓好常态化疫情防控，全方位全周期保障人民健康。

中央和国家有关部门要站在全局高度、聚焦国家战略，会同上海市做好顶层设计，积极研究制定支持浦东高水平改革开放的具体举措，共同推动各项政策落地见效。

女士们、先生们、同志们！

明年是中国共产党成立100周年。上海是中国共产党诞生地。要传承红色基因、践行初心使命,不断提升党的建设质量和水平,确保改革开放正确方向。广大党员、干部要勇于担当、敢为先锋,奋力创造新时代新奇迹。

女士们、先生们、同志们!

“装点此关山,今朝更好看。”上海是一座光荣的城市,是一个不断见证奇迹的地方。浦东开发开放 30 年的历程,走的是一条解放思想、深化改革之路,是一条面向世界、扩大开放之路,是一条打破常规、创新突破之路。展望未来,我们完全有理由相信,在新时代中国发展的壮阔征程上,上海一定能创造出令世界刮目相看的新奇迹,一定能展现出建设社会主义现代化国家的新气象!

图书在版编目（CIP）数据

在浦东开发开放30周年庆祝大会上的讲话/习近平 著. —北京：人民出版社，2020.11

ISBN 978-7-01-022652-1

Ⅰ.①在… Ⅱ.①习… Ⅲ.①习近平-讲话②改革开放-中国-学习参考资料 Ⅳ.①D2-0②D616

中国版本图书馆CIP数据核字（2020）第222123号

（RMC-ZJDXI-101-20201112）

在浦东开发开放30周年庆祝大会上的讲话

ZAI PUDONG KAIFA KAIFANG 30 ZHOUNIAN
QINGZHU DAHUI SHANG DE JIANGHUA

（2020年11月12日）

习 近 平

人民出版社 出版发行

（100706 北京市东城区隆福寺街99号）

北京新华印刷有限公司印刷 新华书店经销

2020年11月第1版 2020年11月北京第1次印刷

开本：880毫米×1230毫米 1/32 印张：0.5

字数：6千字

ISBN 978-7-01-022652-1 定价：2.00元

邮购地址 100706 北京市东城区隆福寺街99号

人民东方图书销售中心 电话 （010）65250042 65289539

